Objectif Mars

ÉCOLE Jeannine Manuel

43 - 45 Bedford Square
WC1B 3DN London

École Jeannine Manuel UK
Company number 904998

L'auteur : Joanna Cole a eu une prof de sciences qui ressemblait un peu à Mlle Bille-en-Tête. Après avoir été institutrice, bibliothécaire et éditrice de livres pour enfants, Joanna s'est mise à écrire. La série *Le Bus magique* connaît un très grand succès aux États-Unis !

L'illustrateur : Yves Besnier est né en 1954. Il habite à Angers. Il illustre des affiches publicitaires ainsi que des livres pour enfants chez Gallimard, Nathan, Hatier, Bayard. Il a dernièrement illustré *Cendorine et les dragons*, paru en 2004 chez Bayard Éditions.

L'auteur tient à remercier le Dr Tom Jones pour ses conseils judicieux lors de la préparation du manuscrit.
Les personnages et le bus sont inspirés des dessins originaux de Bruce Degen.

Titre original : *Space Explorers*
© Texte, 2000, Joanna Cole.
Publié avec l'autorisation de Scholastic Inc., 557 Broadway, New York, NY 10012, USA.
Scholastic, THE MAGIC SCHOOL BUS, le Bus magique et les logos sont des marques déposées de Scholastic, Inc.
Tous droits réservés.
Reproduction, même partielle, interdite.
© 2005, Bayard Éditions Jeunesse pour la traduction-adaptation française et les illustrations.
© 2009, Bayard Éditions

Conception et réalisation de la maquette : Isabelle Southgate

Loi n° 49 956 du 16 juillet 1949
sur les publications destinées à la jeunesse.
Dépôt légal : mars 2005 – ISBN : 978 2 7470 1480 9.
Imprimé en Allemagne par CPI – Clausen & Bosse.

Objectif Mars

Joanna Cole

Traduit et adapté par Éric Chevreau
Illustré par Yves Besnier

Dixième édition

bayard jeunesse

La classe de Mlle Bille-en-Tête

Raphaël

Thomas

Véronique

Carlos

Ophélie

Kicha

Anne-Laure

Lise

Arnaud

Bonjour,
je m'appelle Carlos,
et je suis dans la classe de Mlle Bille-en-Tête.

Tu as peut-être entendu parler d'elle,
c'est une maîtresse extraordinaire,
mais un peu bizarre.
Elle est passionnée de sciences.
Pendant ses cours, il se passe toujours
des choses incroyables.

En effet, Mlle Bille-en-Tête
nous emmène souvent en sortie

dans son **Bus magique** qui peut se transformer
en hélicoptère, en bateau, en avion...

Ah ! J'oubliais ! La maîtresse s'habille
toujours en rapport avec le sujet étudié,
et elle a un iguane, Lise. Original, non ?

Dans ce livre, tu trouveras les dossiers
que nous préparons à la maison
et les informations fournies
par l'ordinateur portable de la maîtresse...
Ainsi, tu seras incollable sur les planètes
et le sytème solaire !
Et ça, ce n'est pas mal non plus !

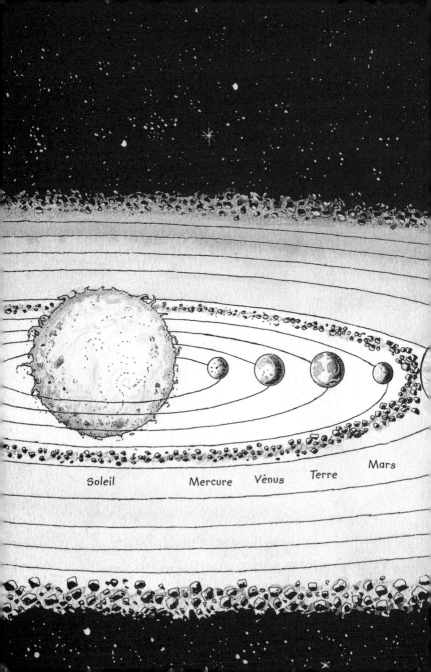

Soleil   Mercure   Vénus   Terre   Mars

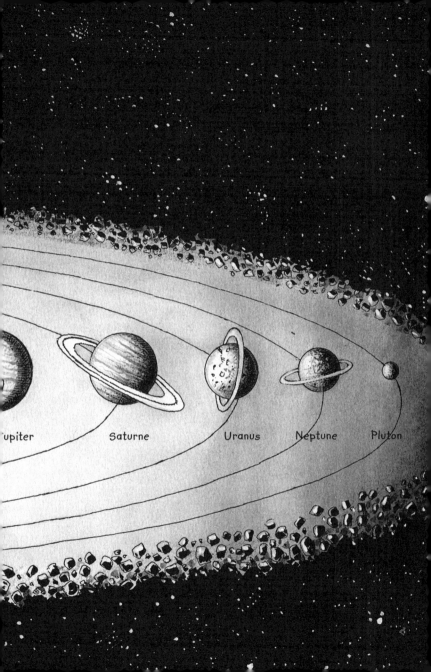

upiter Saturne Uranus Neptune Pluton

1

Embarquement immédiat !

Mon cartable sur l'épaule, je sors de la maison en coup de vent. Aujourd'hui, nous devons parler du système solaire, et je suis impatient de présenter mon travail. Mlle Bille-en-Tête nous a demandé de préparer comme devoir des fiches d'identité sur les neuf planètes.

Moi, j'ai écrit tout un dossier sur Mars, ma préférée, et je suis sûr que j'aurai la meilleure note !

Et puis, je viens juste de terminer le montage de Rocco. C'est un chien-robot télécommandé que j'ai acheté en kit. Ça fait des semaines que je travaille dessus. J'ai dû assembler un nombre incalculable de pièces ! Il est enfin prêt à être montré à mes copains.

Lorsque j'entre dans la classe, Mlle Bille-en-Tête est en train d'accrocher au mur une carte du système solaire.

Nous connaissons déjà un peu le sujet. Hier, Arnaud a présenté son exposé sur le Soleil et les planètes qui tournent autour de lui...

À présent, mes copains sont arrivés. Quand je sors Rocco de mon cartable, ils se bousculent tous pour être autour de moi. Même Anne-Laure, la meilleure de

Le Soleil, un drôle d'aimant !

Le centre du système solaire est le Soleil. Dans « solaire », il y a « sol » (soleil, en latin). Toutes les planètes lui tournent autour ! Le Soleil est comme un énorme aimant. Grâce à sa force d'attraction, appelée gravité, il retient autour de lui tous les astres (les planètes et leurs satellites, ou lunes). Le Soleil a la gravité la plus importante, car c'est l'astre le plus gros et le plus lourd.

Arnaud

la classe, ne peut s'empêcher d'admirer mon « super jouet », comme elle l'appelle !

Là, je ne suis pas d'accord :

– Ce n'est pas un jouet, Anne-Laure ! C'est un robot collecteur de pierres.

Bon, c'est sûr, Rocco a davantage l'air d'un chien que d'un robot : quand il roule, sa tête oscille et sa queue remue. Il pousse même de petits bips qui ressemblent à des jappements !

Mais, pour le reste, je l'ai fabriqué entièrement sur le modèle de Sojourner, le premier robot à avoir exploré la surface de Mars en 1996. Rocco est même équipé de deux vraies fusées à l'arrière !

Mais le plus surprenant, c'est la boîte que Rocco porte sur le dos. Ce compartiment secret sert à récolter les échantillons de pierres. Une simple pression de mon doigt sur un bouton de la télécommande, et, hop ! la boîte s'ouvre. Un bras mécanique

se déplie, prolongé d'une petite pelle qui racle le sol et prélève des pierres. J'appuie sur un deuxième bouton, et le bras se replie. Puis la pelle déverse son contenu dans la boîte, et le tour est joué !

Moi, les cailloux, j'en suis fou, alors c'est un super moyen d'enrichir ma collection.

Les copains sont épatés par ma démonstration. Je leur montre les pierres et la terre argileuse de couleur ocre que j'ai récoltées sur le chemin de l'école :

– Vous ne trouvez pas qu'on dirait un échantillon de sol martien ?

– Je croyais que le sol de Mars était vert, comme ses habitants, plaisante Raphaël.

– N'importe quoi ! Les hommes verts, ça n'existe pas, c'est de la science-fiction. Et puis, je te signale que Mars est surnommée la Planète rouge. C'est à cause de son sol, qui contient du fer. Et le fer avec l'eau, ça rouille !

Tournent, tournent les planètes !

Neuf planètes tournent autour du Soleil. On appelle ça la « révolution ».
Plus les planètes sont éloignées du Soleil, plus elles mettent de temps pour en faire le tour complet. La Terre, troisième planète à partir du Soleil, l'effectue en 365 jours ; Mars, qui est plus éloignée, en deux fois plus de temps.

Arnaud

– Mais, s'il y a de l'eau sur Mars, intervient Ophélie, il y a de la vie, non ? Alors pourquoi pas des petits hommes verts ?

– Mais vous n'y connaissez rien ! s'écrie Arnaud. Il ne peut y avoir aucune vie sur Mars ! Elle est trop loin du Soleil ! Vous n'avez pas écouté mon exposé, ou quoi ?

Mlle Bille-en-Tête met fin à la discussion :

– Silence, les enfants ! Puisque vous semblez si intéressés par la planète Mars, le mieux est encore d'aller la voir de plus près. Tout le monde dans le bus !

– Mais... Mars est à plus de cinquante millions de kilomètres ! dis-je. Il faudrait au moins neuf mois pour s'y rendre en vaisseau spatial.

– Très juste, admet la maîtresse. Sauf que le Bus magique *n'est pas* un vaisseau ordinaire, n'est-ce pas ?

Elle m'adresse un clin d'œil.

Tous les élèves rangent leurs affaires, et nous nous dirigeons vers le parking de l'école. Là, une surprise nous attend. On dirait que le Bus magique a subi quelques modifications... à commencer par l'apparition de quatre fusées à l'arrière !

Je suis les copains à bord du bus, serrant mon Rocco sous le bras.

– Si j'avais su que nous partions pour l'espace, se lamente Arnaud, j'aurais emporté un casse-croûte plus gros !

– Tu n'en auras pas besoin, Arnaud, le rassure Mlle Bille-en-Tête. Si tout se passe bien, nous serons sur Mars avant le déjeuner ! Maintenant, attachez tous vos ceintures. Parés pour le décollage ? Trois, deux, un... Accrochez-vous !

Avec un cri d'enthousiasme, Mlle Bille-en-Tête enclenche la mise à feu. Soudain, dans un rugissement de réacteurs, nous nous arrachons du sol et fonçons vers l'espace !

2

Premiers pas sur la Lune

Grâce à la puissance de ses fusées, le bus atteint rapidement une vitesse qui lui permet de s'arracher à l'attraction terrestre. Nous traversons l'atmosphère comme un éclair pour pénétrer dans une immensité sombre.

Tout à coup, Mlle Bille-en-Tête coupe l'alimentation des fusées. Et, là, un phénomène étrange se produit. Rocco, que j'avais posé sur mes genoux, se met à flotter jusqu'au plafond ! Au même moment, Raphaël pousse un cri :

– Hé ! Regardez, je vole !

Nous levons les yeux : c'est vrai ! Raphaël a défait sa ceinture, et il est en train de voler au-dessus de nous, comme Peter Pan !

– Mademoiselle, souffle Kicha, inquiète, que lui arrive-t-il ?

– C'est à cause de l'absence de gravité dans l'espace, explique Mlle Bille-en-Tête. On appelle cet état « l'apesanteur ». Si nous en profitions pour consulter l'ordinateur de bord ?

Nous regardons tous l'écran.

Ça plane pour moi !

Plus la fusée s'éloigne de la Terre, plus la gravité à bord diminue. Grâce à la poussée des moteurs, qui compense la faible gravité, les passagers sont « collés » au sol. Mais, lorsqu'on coupe les moteurs, les passagers flottent.

– Ça a l'air trop bien ! dit Kicha. Attends-moi, Raphaël, j'arrive... Youpi !

Dès qu'elle a défait sa ceinture, elle se met à flotter. Nous éclatons de rire et ne tardons pas à la rejoindre. Mais ce n'est pas facile de se diriger ! On se bouscule les uns les autres et on se cogne aux parois du bus. Certains d'entre nous préfèrent s'agripper aux sièges pour garder leur équilibre. On s'amuse comme des fous.

Arnaud, flottant pieds par-dessus tête, s'accroche à une fenêtre.

– Regardez ! s'écrie-t-il. La Terre ! Elle est trop belle, vue d'en haut !

Nous voltigeons tant bien que mal vers les fenêtres. C'est vrai qu'elle est belle, notre Terre, toute en bleu et brun. Et puis, elle est enveloppée de nuages blancs tourbillonnants ! Anne-Laure, qui a pré-paré son dossier sur la planète Terre, fait son intéressante et dit :

– La planète Terre devrait plutôt s'appeler la planète Océan, car la plus grosse partie de sa surface est recouverte d'eau.

– Tout à fait exact ! approuve Mlle Bille-en-Tête.

La Terre, un petit coin de paradis

La Terre n'est ni trop chaude, ni trop froide. Sa température est idéale pour le développement de la vie. L'eau y est abondante (les deux tiers de sa surface sont recouverts par les mers et les océans), et les gaz qui composent notre air (azote, dioxyde de carbone, et bien sûr oxygène) nous permettent de respirer.

Anne-Laure

À présent, la Lune est en vue. Super ! Véronique, très excitée (elle a fait son dossier sur la Lune), s'exclame :

– Là, regardez ! La Lune. Enfin, une moitié...

– Si nous ne voyons qu'une moitié de Lune, précise Mlle Bille-en-Tête, c'est parce que l'autre est actuellement...

– ... dans l'ombre ! l'interrompt Véronique.

Je demande :

– Dites, mademoiselle, on ne pourrait pas s'arrêter ? J'aimerais tellement récolter quelques échantillons de sol lunaire pour ma collection...

– Mais bien sûr, Carlos ! répond-elle en changeant notre trajectoire.

Lorsque nous approchons de la partie visible de la Lune, nous ralentissons. La surface lunaire est parcourue de profondes crevasses et couverte de cratères qui ressemblent à des cuvettes gigantesques. La maîtresse dirige notre fusée magique et atterrit – ou plutôt alunit – dans l'une d'elles.

– Que tout le monde s'habille ! recommande Mlle Bille-en-Tête.

Elle nous montre comment mettre les scaphandres.

– Sans vos casques et vos bouteilles à oxygène, vous étoufferiez. N'oubliez pas qu'il n'y a pas d'air sur la Lune.

Et sans air, pas de son non plus ! Nos casques sont donc équipés d'émetteurs-récepteurs.

Serrant Rocco dans mes bras, je descends prudemment de la fusée et pose un pied sur le sol poussiéreux. Je n'arrive pas à y croire : je me sens comme Neil Armstrong faisant son premier pas sur la Lune.

Je me retourne vers les autres, et je crie :

Objectif Lune...

Neil Armstrong est le premier astronaute à avoir marché sur la Lune. Il faisait partie de la mission Apollo 11, la première expédition humaine vers notre satellite naturel. Le 20 juillet 1969, Armstrong pose le pied sur le sol lunaire. Des millions de Terriens assistent en direct, grâce à la télévision, à cet événement historique. Ils entendent Armstrong dire : « C'est un petit pas pour l'homme, un grand pas pour l'humanité. »

Véronique

– Un petit pas pour Carlos, un grand pas pour l'humanité.

– Attention à toi ! me prévient Mlle Bille-en-Tête. Je te rappelle que l'attraction de la Lune est beaucoup plus faible que celle de la Terre. Tu es six fois plus léger ici !

J'oubliais que sur la Lune rien n'est comme sur Terre...

– Hé, regardez ! crie Raphaël. C'est mieux qu'un trampoline !

Pas plus lourd qu'un chien !

La Lune aussi possède une force d'attraction. Mais, comme elle est plus petite que la Terre, la gravité y est plus faible, six fois moindre. Un enfant de 36 kilos n'en pèse plus que 6 sur la Lune ! Il peut donc sauter plus haut, plus loin.

Véronique

Bientôt, nous faisons tous des bonds de kangourous. Anne-Laure et Kicha, elles, jouent à saute-mouton. C'est génial ! Nous nous amusons tellement que j'en oublie presque la raison de notre présence sur la Lune.

– Des roches ! Il me faut des roches. À toi de jouer, Rocco !

Je me penche pour le poser à terre quand, tout à coup, je suis bousculé par Thomas, et Rocco m'échappe.

Je tombe pile sur la télécommande, appuyant sans le vouloir sur le bouton « Marche ». Oh, non ! Les fusées de Rocco se déclenchent ! Dans un effort désespéré, j'essaie de le rattraper par le bout de sa queue.

Trop tard ! Rocco s'enfonce dans les ténèbres de l'espace.

3

À la poursuite de Rocco

Je me mets à hurler :

– Il faut le rattraper ! Si l'on ne se dépêche pas, il est perdu !

Déjà, Rocco n'est plus qu'un point dans le lointain.

Nous regagnons le bus en courant. Mlle Bille-en-Tête déclenche la mise à feu des fusées, et nous nous lançons à la poursuite du petit robot. La poussée des moteurs nous « colle » au sol : nous pouvons de nouveau marcher dans le bus. Thomas s'approche de moi, gêné :

– Je suis désolé de t'avoir bousculé tout à l'heure, s'excuse-t-il. J'espère vraiment qu'on pourra récupérer Rocco.

– Tu ne l'as pas fait exprès, dis-je, c'était un accident.

Mlle Bille-en-Tête nous avertit :

– Ouvrez l'œil, les enfants. On ne sait jamais : on pourrait croiser un ou deux astéroïdes ! Ce serait une rencontre pas franchement agréable...

En lisant les informations affichées par l'ordinateur de bord, je sens un frisson dans le dos.

Ophélie ne quitte pas des yeux l'écran du radar – c'est l'appareil qui indique la présence des astres.

Tout à coup, elle s'exclame :

– Dites, mademoiselle

Attention, chute de rochers !

Les astéroïdes sont des morceaux de rocs
qui se promènent dans l'espace. Ils peuvent
être de toutes les tailles : très petits ou énormes.
Cérès, le plus gros astéroïde, a un diamètre de
mille kilomètres !
La plupart de ces « cailloux » sont en orbite entre
Mars et Jupiter (ce qu'on appelle la « ceinture
d'astéroïdes »). Certains se heurtent et rebondissent
vers d'autres régions du système solaire.

Bille-en-Tête, comment s'appelle l'étoile qui brille juste en face ?

– Ça ? dit la maîtresse en tendant un doigt vers le point le plus lumineux. Ce n'est pas une étoile, Ophélie. C'est la planète Vénus. Elle ne fait que renvoyer les rayons du Soleil. Mais, comme elle est très près, elle en renvoie une grande quantité. Après le Soleil et la Lune, c'est l'astre le plus brillant que nous voyons de la Terre.

Kicha intervient. Elle a préparé un dossier sur Vénus et Mercure, les deux planètes les plus proches du Soleil. Elle explique :

– Vénus brille très fort, car la lumière du Soleil rebondit sur les épais nuages qui l'entourent, et... oh ! oh ! On dirait que Rocco se précipite droit dessus !

Je panique :

– Mais, s'il se perd dans ces nuages, on ne le retrouvera jamais...

– Le plus grave, reprend Kicha, c'est qu'ils sont composés d'acide sulfurique. C'est un mélange de gaz qui peut ronger n'importe quel métal !

– Oh, non !

Je suis désespéré. Si Rocco continue sa

Vénus, la planète volcanique

Vénus est notre plus proche voisine. Elle a presque la même taille que la Terre. Mais il y fait une chaleur terrible : 450°C. Sa surface n'est qu'une immense plaine rocailleuse avec, ici ou là, des volcans éteints. Personne n'est jamais allé sur Vénus. Quelques robots, des sondes spatiales, ont exploré sa surface, mais ils ont vite été détruits par l'atmosphère acide.

Kicha

route, il est perdu ! Soudain, je pense à la télécommande dans ma poche. Et si j'essayais de lui faire changer de direction à distance ? Mais il faut faire vite, avant qu'il ne soit piégé par la gravité de Vénus !

J'enfonce le bouton de marche arrière. J'attends dans l'angoisse, et... je vois Rocco qui amorce un demi-tour vers le bus. J'explose de joie :

– Youpi !

Thomas est aussi soulagé que moi :

– Tu as réussi, Carlos ! Maintenant, il faut réfléchir au moyen de le récupérer lorsqu'il passera près de nous...

C'est vrai : la partie n'est pas gagnée. Mais je n'ai pas le temps de penser à un plan, car quelque chose de terrible arrive : un petit astéroïde vient tamponner Rocco et il l'envoie tournicoter !

Très rapidement, Rocco n'est plus qu'un point dans l'espace. Mlle Bille-en-Tête

enclenche les fusées, et nous laissons Vénus derrière nous. Mais jamais nous ne pourrons rattraper notre retard sur Rocco. Heureusement, Raphaël a une idée :

– Est-ce que tu crois qu'on peut le suivre grâce à son bip ?

Je hausse les épaules :

– On peut essayer...

Je pousse le bouton qui contrôle la voix de Rocco. Un faible jappement se fait entendre : yip, yip, yip. Mon cœur bondit, et je reprends espoir.

Mlle Bille-en-Tête s'exclame :

– Je l'ai ! J'ai localisé Rocco sur l'écran du radar.

Elle rectifie notre trajectoire et lance le bus pleins gaz à sa poursuite. Nous le rattrapons juste au moment où il s'approche de Mercure. C'est la planète la plus proche du Soleil. Vite, nous mettons des lunettes spéciales pour protéger nos yeux de ses rayons. Déjà, nous sentons sa

Mercure, une planète froide et chaude

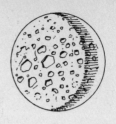

La température sur Mercure peut atteindre 370°C le jour. Mais, la nuit, elle descend à -170°C ! Comme notre Lune, Mercure est couverte de cratères, car des météorites se sont écrasées sur elle. Elle tourne très vite autour du Soleil, mais très lentement sur elle-même. Sur Mercure, la journée et la nuit durent presque une année !

Kicha

chaleur sur nos visages. Mlle Bille-en-Tête abaisse une manette qui déclenche un bouclier de protection autour du bus.

– Il doit faire trop chaud sur cette planète !

Kicha, notre spécialiste sur Mercure, me dit :

– Tu peux le dire ! Mais il y fait aussi un froid de canard... Aucune autre planète ne connaît de telles différences de températures !

Le signal de Rocco est de plus en plus faible. Sur l'écran du radar, nous le voyons frôler Mercure de peu. À présent, mon robot se dirige vers... le Soleil !

4

Sortie dans l'espace

« Yip, yip, yip... YIP ! YIP ! »

Le signal émis par Rocco ressemble maintenant à un appel au secours...

Une fois encore, j'essaie d'engager à distance la marche arrière. Mais Rocco est hors de portée.

Tout ce que je peux faire, c'est le suivre sur l'écran du radar. Il se rapproche dangereusement du Soleil brûlant. Je préfère fermer les yeux.

Anne-Laure pousse un cri :

– Regardez ! C'est incroyable ! Rocco

vient de changer de direction ! Il fait demi-tour vers Mercure...

Je gémis :

– Génial ! Au lieu d'être grillé, il sera réduit en poussière ...

– Mais non ! intervient Ophélie. Rocco ne *descend* pas vers Mercure, il se met en orbite *autour* !

– Elle a raison, renchérit Kicha. Regarde ce point sur le radar. Rocco va continuer à tourner autour de Mercure, comme la Lune autour de la Terre. Il est devenu un satellite !

– Eh bien ! s'exclame Mlle Bille-en-Tête, voilà notre chance de le récupérer.

– Mais comment ? demande Raphaël. On ne peut quand même pas voler jusqu'à lui ?

– Pourquoi pas ? dit la maîtresse, une

lueur malicieuse dans les yeux. En fait, c'est exactement ce que Carlos et moi allons faire...

Alors, là, je ne suis pas du tout d'accord ! Mlle Bille-en-Tête me rassure aussitôt :

– Tu as déjà vu des images de spatio-nautes flottant dans l'espace et réparant des satellites ? Eh bien, comme eux, nous nous attacherons à des câbles et sortirons du bus pour faire un tour dans l'espace...

Je proteste :

– Mais nous allons être carbonisés par les rayons du Soleil !

– Non, Carlos, car j'ai ce qu'il nous faut...

Et d'un petit compartiment elle sort deux ombrelles recouvertes d'une espèce de doublure dorée.

– Ces parasols sont très élaborés ! Ils sont fabriqués avec un matériau spécial qui protège des rayons du Soleil, et de sa chaleur.

Attention les yeux !

Le Soleil est une énorme boule d'hydrogène (un million de fois plus grosse que la Terre !) qui brûle sans arrêt. Tout autour, un halo de gaz super chaud (la couronne) s'étend sur des millions de kilomètres. Un jour, le Soleil explosera. Ce jour-là, les lunettes de soleil ne suffiront pas à nous protéger ! Heureusement, cela n'arrivera que dans quatre ou cinq milliards d'années !

Arnaud

Le Bus magique se trouve maintenant juste entre Mercure et le Soleil. Heureusement que nous portons nos lunettes protectrices ! D'ici, le Soleil paraît deux fois plus gros que vu de la Terre.

Mlle Bille-en-Tête et moi enfilons nos combinaisons de spationautes. Nous entrons dans le sas, une toute petite pièce avec un panneau ouvrant sur l'extérieur.

Une fois le sas refermé, nous mettons nos casques et ouvrons le robinet d'oxygène. Puis nous faisons le vide, en chassant tout l'air contenu dans le sas. Mlle Bille-en-Tête vérifie les cordages, et annonce :

– Paré ? Alors, ouvre le sas, Carlos !

Pas très rassuré, je tire sur le levier qui déclenche l'ouverture du panneau.

Et voilà ! Je flotte dans l'espace. Je ne quitte pas Mlle Bille-en-Tête des yeux. Pourvu que le câble qui me relie au bus résiste ! J'ai vraiment l'impression que ma vie ne tient qu'à un fil...

La lumière est presque aveuglante. Nous ouvrons nos parasols et les attachons dans notre dos. À présent, on y voit mieux. Nous contournons le bus.

Du coin de l'œil, j'aperçois un objet sombre qui flotte près de ma tête : c'est

Rocco ! J'étends le bras... Il est trop court !

. – Tu l'as presque..., m'encourage la voix de Mlle Bille-en-Tête dans mes écouteurs radio. Lâche un peu la corde, Carlos !

Facile à dire ! J'ai tellement peur de m'éloigner du bus ! Je lâche la corde, mais le mouvement que je fais m'envoie promener dans tous les sens. J'enchaîne galipette sur galipette, tournant sur moi-même comme une toupie. Ma tête aussi se met à tourner !

Je sens une main agripper ma cheville. Je m'immobilise enfin. Mlle Bille-en-Tête est venue à la rescousse !

– Merci, mademoiselle ! Je commençais à avoir le tournis...

Maintenant, Rocco est à portée de main. Mlle Bille-en-Tête ne

me lâche pas. Je tends le bras. Plus que quelques centimètres...

– Je l'ai !

Mes doigts se referment sur la queue de mon robot. Quel soulagement ! Nous regagnons le bus, lentement mais sûrement. À la sortie du sas, tout le monde me félicite. Thomas, surtout, est content que l'aventure de Rocco soit terminée.

Mlle Bille-en-Tête ne nous laisse pas souffler longtemps :

– Les enfants, il est temps de quitter le Soleil. Il est chaleureux, d'accord, mais un peu trop à mon goût. La température à sa surface dépasse les 5 500°C. Le noyau, lui, est beaucoup plus chaud : 15 millions de degrés. Filons vite !

5

Comètes droit devant !

En revenant vers Mars, nous filons comme une flèche entre Vénus et la Lune. Je n'ai toujours pas récolté de pierres ; j'aurai peut-être plus de chance sur la Planète rouge. Et puis, j'ai retrouvé Rocco, c'est le plus important.

Alors que nous repassons tout près de la Terre, un point commence à clignoter sur l'écran radar. Je donne l'alerte :

– Oh, oh ! Je crois qu'on se dirige droit sur un objet non identifié !

Mlle Bille-en-Tête tapote sur le clavier

de l'ordinateur pour afficher un gros plan. L'image grandit, encore et encore.

– On dirait un gros insecte avec des ailes brillantes ! s'exclame Raphaël.

– Ce n'est pas un insecte, dit Arnaud, sûr de lui. C'est une station spatiale en orbite autour de la Terre. Et ses ailes, ce sont des panneaux solaires ! J'en ai parlé dans mon dossier.

Anne-Laure se met à rêver tout haut :

– Un jour, je travaillerai dans une station spatiale...

– Pour flotter la tête en bas pendant des mois ? s'exclame Arnaud. Merci ! En plus, il paraît qu'après plusieurs semaines dans l'espace les muscles deviennent tout ramollos, car ils ne travaillent plus.

– On s'habitue à l'absence de gravité, réplique Anne-Laure. Et puis, les spationautes font de l'exercice sur des appareils de musculation.

Comment fonctionne une station spatiale ?

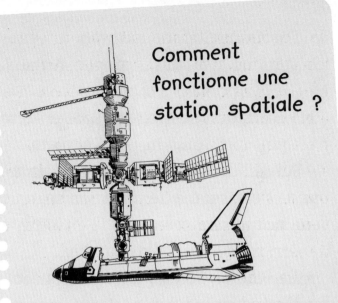

Dans l'espace, il n'y a pas d'air... et donc pas de nuages. Comme il fait toujours beau, l'énergie solaire est disponible tout le temps. Elle est récupérée par les panneaux solaires des satellites ou des stations spatiales, puis transformée en électricité pour faire fonctionner les moteurs, les instruments de bord, le laboratoire. Ainsi, les scientifiques peuvent vivre et travailler plusieurs mois d'affilée dans l'espace.

Arnaud

– Encore une bonne raison pour éviter les stations spatiales..., grogne Arnaud. Moi, la gym, c'est pas mon truc !

Nous éclatons de rire, Mlle Bille-en-Tête rit le plus fort. Soudain, je m'inquiète :

– Euh, dites, mademoiselle, on ne risque pas de s'écraser contre la station spatiale si on ne fait rien ?

– Oh ! mon Dieu, j'allais oublier...

Mlle Bille-en-Tête se jette sur les commandes pour modifier la trajectoire. Nous évitons la station de peu. Serrés autour des hublots, nous la regardons avec de grands yeux. Pendant quelques secondes, j'envie les spationautes qui travaillent à bord. Soudain, Anne-Laure pousse un cri :

– Regardez l'écran ! Il y a autre chose !

Elle montre du doigt un autre point lumineux... ou plutôt une tache lumineuse. Cette fois, c'est derrière nous... et ça se rapproche à une vitesse ultrarapide !

– Oh, non ! s'écrie Thomas. On dirait une comète... Comme celle qui s'est écrasée sur Jupiter il y a quelques années ! Si elle nous rattrape, on est fichus...

De nouveau, Mlle Bille-en-Tête effectue un gros plan sur l'objet non identifié. L'image s'affiche :

– On dirait des cheveux de femme ! s'exclame Anne-Laure.

– Tu ne crois pas si bien dire, approuve la maîtresse.

Elle clique sur l'image de l'ordinateur, qui nous donne quelques précisions.

La comète gagne du terrain. La maîtresse crie :

– Accrochez-vous ! Nous allons avoir besoin de toute la puissance de nos fusées

Alerte : comète !

Une comète est une boule de poussières,
de rocs et de glace. Lorsqu'elle passe près
du Soleil, la glace se change en gaz, entraînant
les rocs et la poussière. Se forme alors une
queue, appelée aussi chevelure, mesurant
des millions de kilomètres !
Au cours de leur voyage autour du Soleil,
il arrive que les comètes passent près de la Terre.
Ce sont les « étoiles filantes ». En réalité, elles
ne produisent pas de lumière, mais captent
celle du Soleil. D'où cette belle chevelure
d'argent !

si nous voulons lui échapper !

Elle enfonce d'un coup de poing le bouton qui commande la mise à feu des fusées. Le bus bondit en avant, mais la comète continue de se rapprocher. Et nous avons un autre problème : nous sommes tout à coup entourés de gros rochers flottant dans l'espace.

– Des astéroïdes ! Et des gros ! Accrochez-vous, ça va secouer !

Les rochers nous frôlent de tous les côtés. Mlle Bille-en-Tête appuie sur les boutons de la console d'instruments pour changer de direction. Le bus tangue, et vire, et chavire, échappant de peu aux astéroïdes monstrueux. Mais croyez-vous que notre maîtresse ait peur ? Pas du tout ! Elle semble s'amuser comme une folle. Ce qui n'est pas le cas de Raphaël :

– Attention au gros droit devant, mademoiselle !

– Ne t'en fais pas, Raphaël, je contrôle la situation, lui assure-t-elle.

Elle évite l'astéroïde géant pour se faufiler entre deux plus petits.

– On ne pourra pas semer la comète, gémit Arnaud, on est trop lents ! Et si on se posait sur un des astéroïdes ?

– Bien pensé, Arnaud. En voici un qui devrait faire l'affaire !

D'une main sûre, Mlle Bille-en-Tête dirige le bus vers un des plus gros astéroïdes et le pose sur sa surface cabossée. Il était temps : deux secondes plus tard, la comète nous frôle, puis poursuit sa route. Elle devient de plus en plus petite, et finit par disparaître dans l'obscurité. Nous poussons un « ouf ! » de soulagement. Thomas, comme d'habitude, reste cool :

– Ouah ! C'était géant !

– Tu trouves ? Effrayant, plutôt..., soupire Arnaud.

Je demande à Mlle Bille-en-Tête si on arrive bientôt sur Mars. Elle consulte sa carte du système solaire en fronçant les sourcils :

– Mmm... J'ai bien peur qu'en cherchant à éviter la comète, on ait manqué la Planète rouge. D'après mes calculs, nous sommes maintenant dans la ceinture d'astéroïdes qui se trouve entre Mars et Jupiter. Il va nous falloir rebrousser chemin... de quelques millions de kilomètres. Mais bon, rien de grave...

Rien de grave ? C'est elle qui le dit. Lorsque Mlle Bille-en-Tête essaie de mettre en route les rétrofusées pour inverser notre direction, on entend un drôle de bruit. Et ce bruit ne me dit rien qui vaille, mais alors rien du tout !

6

En panne !

– Oh, oh ! dit Mlle Bille-en-Tête. On dirait que les fusées ne répondent plus. Impossible de faire demi-tour, j'en ai peur...

C'est bien ce que je craignais... Décidément, ce voyage spatial ne semble pas se dérouler selon nos plans !

Laissant derrière nous la ceinture d'astéroïdes, nous nous enfonçons plus avant dans l'espace.

Mlle Bille-en-Tête essaie de nous remonter le moral :

– Nous finirons bien par réparer ces fusées. En attendant, profitons de cet imprévu pour poursuivre notre expédition vers les planètes les plus éloignées du Soleil. À commencer par Jupiter, la plus grosse.

D'après le compteur, nous nous trouvons à presque cinq cents millions de kilomètres de la Terre !

– Nous sommes à sept cents millions de kilomètres du Soleil, précise Mlle Bille-en-Tête. À cette distance, les températures sont extrêmement basses. Il est possible que les commandes de fusées soient gelées. Je vais inspecter la chambre des machines.

Munie d'une lampe-torche, Mlle Bille-en-Tête se dirige vers l'arrière du bus, où se trouvent les moteurs.

Nous nous regardons, plutôt effrayés.

– Et si Mlle Bille-en-Tête ne réussit pas à les réparer ? souffle Kicha.

– Je préfère ne pas y penser..., gémit Raphaël.

– Tout ça, c'est ta faute ! s'écrie Arnaud

en pointant un doigt vers moi. Sans ton fichu robot, nous ne serions pas dans ce pétrin !

– Hé, doucement ! fait Thomas. Si Rocco s'est perdu, c'est ma faute, pas celle de Carlos !

– Taisez-vous ! supplie Ophélie. Je suis sûre que Mlle Bille-en-Tête va tout arranger.

– Regardez ! intervient Anne-Laure. Jupiter !

Nous nous serrons autour des hublots pour tenter d'apercevoir la planète. Quelle vue magnifique ! Toutes ces bandes grises, brunes, bleues et orange !

– Les bandes que vous voyez, ce sont des nuages de gaz, nous explique Thomas, notre spécialiste de Jupiter. Ils tourbillonnent sans arrêt, car la planète tourne sur elle-même à une super-grande vitesse, en moins de dix heures !

Jupiter :
la Planète Super Plus

Plus grande : 1300 fois la Terre.
Plus lourde : elle pèse 318 fois plus
que la Terre.
Plus de gravité : si on pouvait marcher
sur Jupiter, on pèserait deux fois et demie
plus lourd que sur la Terre. Sauf que c'est
impossible, car sa surface est gazeuse
(vous avez déjà essayé de marcher
sur un nuage ?)
Plus rapide : comme elle tourne sur
elle-même deux fois plus vite que la Terre,
ses journées sont deux fois plus courtes.
Plus froide : -144°C !
Et plus dangereuse : ses orages sont
terribles, avec des éclairs 10 000 fois
plus puissants que les nôtres !

Thomas

— Là, vous voyez ? poursuit Thomas. Ce sont les lunes de Jupiter. Seize en tout. Quatre d'entre elles sont plus grandes que des planètes ! Quand je vous disais que, sur Jupiter, tout est super plus...

— Comme nos ennuis, si Mlle Bille-en-Tête ne répare pas les fusées ! dit Arnaud.

Car Jupiter est déjà derrière nous, et nous continuons d'avancer...

Justement, Mlle Bille-en-Tête sort de la salle des machines :

– Mauvaise nouvelle, les enfants ! Les bobines chauffantes autour des commandes de fusées sont mortes. Il semble qu'une des soupapes soit prise par le gel. C'est une sorte de clapet qui règle l'alimentation en carburant.

Kicha secoue la tête d'un air désespéré :

– Cette fois, on est fichus ! Le bus va continuer à avancer, passer Saturne, puis Uranus, Neptune, Pluton... et sortir du système solaire !

– Allons, Kicha, ce n'est pas si grave, dit Mlle Bille-en-Tête. Nous débloquerons la soupape manuellement, voilà tout. Nous devons juste trouver le bon outil !

Ben voyons... On dérive aux limites du système solaire à bord d'un bus spatial incontrôlable, et ce n'est pas « si grave » ? Je me demande ce que Mlle Bille-en-Tête appelle « grave » !

Pendant qu'elle fouille dans la boîte à outils avec enthousiasme, nous cherchons Saturne du regard. Grâce à sa silhouette si particulière, elle n'est pas très difficile à repérer.

Arnaud est le premier à l'apercevoir :

– Là ! Eh bien, elle n'est pas petite !

C'est Ophélie qui a écrit le dossier sur Saturne et Uranus. Ce sont un peu ses planètes :

Saturne, la reine des planètes

Saturne est belle comme une reine, avec ses perles (les lunes) et ses colliers (les anneaux).

Elle a plus de « décorations » que toutes les autres planètes. Ses anneaux sont constitués de blocs de roches et de glace. Certains sont aussi minuscules que des grains de sable, d'autres gros comme des maisons !

Et elle met trente ans pour faire le tour du Soleil.

Ophélie

– Saturne est la deuxième planète en taille. En tout cas, après la Terre, c'est sûrement la plus jolie. Regardez tous ces anneaux, il y en a des milliers !

Déjà, Saturne et Titan, sa lune principale, s'éloignent dans notre dos. Même Thomas commence à s'inquiéter, maintenant. Pour être honnête, je ne suis pas du tout rassuré non plus...

Dans l'espace, il n'y a pas d'air qui pourrait freiner un objet en mouvement. Si les fusées ne sont pas bientôt réparées, nous allons quitter le système solaire pour vadrouiller je ne sais où et, surtout, je ne sais combien de temps ! Perdus dans l'espace...

Rien que d'y penser, j'en ai des frissons.

7

Le héros
du jour

Mlle Bille-en-Tête pousse un cri de triomphe. Elle vient de mettre la main sur l'outil qu'elle cherchait :

– Je vais régler ce problème de fusée avant même que vous ayez eu le temps de dire « ouf » !

Pendant que Mlle Bille-en-Tête travaille dans la salle des machines, nous apercevons une autre planète, elle aussi entourée d'anneaux. Elle est d'une jolie couleur bleu-vert, mais quelque chose de bizarre la rend très différente des autres...

Je sais ! Toutes les planètes que nous avons vues auparavant étaient légèrement inclinées vers le Soleil, mais celle-ci est carrément renversée.

– C'est Uranus ! s'exclame Ophélie. Vous avez vu comme elle a l'air retournée !

– Tu m'étonnes ! dis-je en lisant la dis-

Uranus, planète retournée

Uranus a un aspect bizarrement penché. Ses pôles pointent dans la direction du Soleil. Les scientifiques pensent que c'est le résultat d'un gros carambolage avec une lune ou un astéroïde, il y a plusieurs milliards d'années. C'est une géante gazeuse, comme Jupiter et Saturne. Son atmosphère de méthane lui donne cette jolie couleur bleu-vert.

Ophélie

tance affichée par l'ordinateur de bord. Toi aussi, tu aurais l'air toute retournée, abandonnée aussi loin dans l'espace... On est à deux milliards et demi de kilo-mètres de la maison !

Le bus ne semble pas ralentir. Au contraire, on a l'impression qu'il accélère encore ! Mais que fait Mlle Bille-en-Tête ? Déjà Uranus est derrière nous, et voici Neptune ! Malgré notre frousse, on ne peut pas s'empêcher de pousser des oh ! et des ah ! d'admiration.

– Vous ne trouvez pas qu'on dirait une bille ? demande Raphaël, qui a travaillé sur Neptune et Pluton, les deux dernières planètes du système solaire.

– Est-ce que ça n'est pas Pluton, cette petite planète, là ? demande Ophélie.

– Mais oui, répond Raphaël.

– Tu dois te tromper, Raphaël, dit Anne-Laure en secouant la tête. Pluton est la

Neptune, la belle bleue !

Neptune est située très loin du Soleil, et il y fait un froid terrible ! On ne sait pas grand-chose sur elle, car on ne peut la voir sans télescope.

En 1989, la sonde spatiale Voyager 2 nous a envoyé les premières photos de Neptune. Elles ont montré que cette planète géante avait des anneaux, mais aussi la pire météo ! Les vents y sont dix fois plus violents que nos ouragans, et les orages parfois aussi grands que la Terre. C'est le méthane, un gaz dans son atmosphère, qui lui donne sa couleur bleue.

Raphaël

dernière planète du système solaire. Elle doit être beaucoup plus loin...

– Non, je ne me trompe pas ! C'est bien Pluton, avec Charon, sa lune. Pluton n'est

pas toujours la plus éloignée, figure-toi...
Elle a une orbite un peu bizarre, qui
l'amène quelquefois plus près du Soleil
que Neptune.

Mlle Bille-en-Tête sort enfin de la salle
des machines. Elle a sa tête des mauvais
jours :

Pluton, la lointaine

Plus petite que notre Lune,
Pluton est la planète la plus éloignée
du Soleil. C'est la plus froide : - 223°C !
Elle est couverte de glace.
Aucune sonde n'est encore allée jusqu'à
Pluton, qui reste un mystère. Tout ce qu'on
sait, c'est qu'elle a une compagne, Charon,
sa lune. Charon n'est pas tellement plus
petite que Pluton, et on a du mal à savoir
laquelle des deux tourne autour de l'autre.
On parle d'ailleurs de planète double.

Raphaël

– Impossible de débloquer seule cette fichue vanne ! Carlos, je vais avoir besoin de tes talents de bricoleur... Tu veux bien m'aider ?

Rocco sur mes talons, je suis Mlle Bille-en-Tête jusqu'à la salle des machines.

Elle se retourne vers moi, l'air contrarié :

– Je ne voulais pas parler devant les autres, mais on a un problème. Je vois bien la vanne, mais je ne peux pas l'atteindre.

L'ouverture est trop étroite pour ma main.
Tu crois que tu pourrais y arriver ?

Elle éclaire l'ouverture de sa lampe-torche.
J'essaie d'y passer la main. Impossible !

Soudain, Rocco se met à tourner sur
place en jappant et en remuant sa queue :
yip, yip, yip.

J'ai une idée :

– Le bras mécanique de Rocco pourrait

s'y glisser facilement. Je mettrai une pince au bout. Si son moteur ne lâche pas, peut-être qu'il réussira à débloquer la soupape ?

– Il faut essayer ! S'il réussit, ce petit chien sera le héros du jour...

À l'aide de la télécommande, j'actionne le bras mécanique. Un « clang ! » nous annonce que la pince au bout du bras vient de s'agripper à la soupape. Le moteur de Rocco peine, et ralentit : il est sur le point de s'éteindre. Nous retenons notre souffle. Et puis, tout à coup, voilà qu'il repart. Mlle Bille-en-Tête s'écrie :

– Les bobines du radiateur chauffent de nouveau ! Bravo, Carlos. Bravo, Rocco !

L'instant d'après, le bus dessine un grand arc de cercle autour de Pluton et Charon. Mlle Bille-en-Tête déclenche les fusées principales et s'exclame :

– Cap sur Mars !

8

Mars la Rouge

En route pour Mars, nous traversons sans encombre la ceinture d'astéroïdes. Nous croisons de nombreux nuages de petites particules.

– Ce sont des poussières de météorites que les comètes ont laissées sur leur passage. Chaque jour, cinq cents kilos de ces poussières pleuvent sur la Terre, nous explique Mlle Bille-en-Tête.

– Alors voilà d'où vient toute la poussière dans ma chambre ! plaisante Arnaud.

Enfin, Mars est en vue. Et, contrairement à ce que pense Raphaël, elle est bien rouge, pas verte ! En approchant, nous remarquons les nuages blancs autour de la planète. La maîtresse nous demande d'enfiler nos combinaisons spatiales :

– Mars est peut-être rouge, mais cela n'a rien à voir avec sa température. Au contraire, il y fait très froid. Et ces nuages que vous voyez sont composés de dioxyde de carbone et d'eau à l'état de glace !

Le bus atterrit dans une vallée très étendue. Autour de nous, de grandes falaises rouges montent vers un ciel orangé. Le sol, lui aussi de couleur rouge orangé, est couvert de poussières et de rocs de toutes les tailles. Je suis pressé de lâcher mon Rocco dans ce désert pour qu'il récolte enfin des échantillons de pierres.

Ophélie s'étonne :

– Je ne pensais pas que les montagnes étaient si hautes sur Mars...

Mars la Rouge

Le relief de Mars est très montagneux. Et rien à voir avec le Massif Central ! Le Mont Olympe, par exemple, un des volcans de Mars, est la plus haute montagne du système solaire. Eh bien, il est presque trois fois plus haut que le Mont Everest, le Toit de la Terre ! Mars doit sa couleur rouge aux poussières d'oxyde de fer (la rouille) dans son atmosphère.

Carlos

– Mars est deux fois plus petite que la Terre, dis-je. Mais, à côté de ses volcans et de ses canyons, les nôtres ont l'air tout riquiqui !

Nous quittons le bus. Comme sur la Lune, je me sens plus léger que sur Terre. C'est parce que la gravité y est trois fois plus faible. Sur Terre, je pèse trente-six kilos.

Sur Mars, c'est comme si je n'en pesais que douze.

Le sol est couvert de pierres. Il y a largement de quoi enrichir ma collection ! Mais la plupart sont trop grosses pour que Rocco puisse les emporter. Heureusement, je repère une zone où les cailloux

sont plus petits. Je pointe un doigt vers l'endroit et ordonne à Rocco :

– Va chercher !

J'enfonce la touche de la télécommande et... là, je n'en crois pas mes yeux. Rocco part comme une flèche. Je ne le croyais pas capable d'aller aussi vite !

– Hé ! Doucement !

Je presse le bouton « Stop », mais Rocco continue sur sa lancée. Dépassant la zone que je lui ai montrée, il fonce droit sur un gros rocher. Je m'énerve :

– Qu'est-ce qu'elle a, cette télécommande ? Arrête, Rocco ! Hé, les copains, au secours !

Les autres me rejoignent aussitôt. Je leur explique la situation. Nous courons sur les traces du robot, qui fuit en faisant des bonds de kangourou.

– Plus vite ! On va encore le perdre !

Les traces de Rocco mènent jusqu'au bord d'un petit cratère. Je suis prêt à les suivre mais Thomas m'en empêche :

– Non, Carlos ! Il faut partir d'ici. Regarde ce qui arrive sur nous !

Je fronce les sourcils :

– Oh, non ! Pas ça !

Une immense colonne de poussière

monte en tourbillonnant du sol. Je crie :

– Un tourbillon de poussière ! Une tornade martienne !

En entendant le mot « tornade », les autres tournent les talons pour rejoindre le bus. Moi, je reste en arrière. Les tourbillons de poussière sont dangereux, bien sûr. Mais, si je me rappelle bien, ils se

Tempête sur Mars

La météo de Mars est terrible.
La température moyenne est de 60°C
(elle descend à -170°C la nuit). Il y a
des vents violents, et des tornades
gigantesques qu'on appelle « tourbillons
de poussière ». Ces tourbillons sont
moins puissants que nos tornades et
se déplacent plus lentement. Mais ils
peuvent quand même s'élever jusqu'à
8 kilomètres.

Carlos

déplacent lentement. J'ai juste le temps de récupérer mon Rocco.

Je descends les pentes du cratère à la poursuite de Rocco. Je lève les yeux et vois le sommet du tourbillon. Pas de doute, il vient vers moi. C'est bizarre, on dirait que le ciel devient rose.

– Rocco ! Rocco ! Où es-tu ?

Je suis les traces jusqu'à un tas de pierres. Et, là, je

m'arrête, stupéfait. Mon Rocco est là, faisant son travail comme si de rien n'était ! Sa pelle racle le sol pierreux. Quand il m'aperçoit, il jappe et, remuant la queue, vide le contenu de la pelle dans la boîte sur son dos.

– Bon chien, Rocco, bon chien !

Il faut faire vite, maintenant. Je saisis mon robot et, le tenant bien serré sous mon bras, escalade la pente du cratère aussi vite que je peux. La tornade n'est plus très loin. Je cours à toute allure vers le bus ! Mlle Bille-en-Tête m'ouvre la porte du sas.

– Contente de te voir, Carlos... ainsi que Rocco. Encore une minute, et j'allais partir à ta recherche. Quand ce tourbillon de poussière va s'abattre sur nous, on n'y verra plus rien !

Comme tous les copains, je me dépêche d'attacher ma ceinture.

De la vie sur Mars ?

Beaucoup de sondes ont été envoyées sur Mars. Les savants s'y intéressent de près, car c'est la planète qui ressemble le plus à la nôtre. Ils pensent que la vie a pu exister auparavant, quand il y faisait plus chaud et que l'eau coulait en surface. En 1996, ils ont cru trouver des traces de vie, des bactéries prises dans une météorite venue de Mars.

Carlos

Il était temps ! Une seconde après, le bus spatial décolle. D'en haut, nous pouvons voir le tourbillon de poussière poursuivre sa route sur la surface de la planète. C'est impressionnant ! Mais je suis un peu déçu d'être parti en catastrophe. J'aurais tellement aimé en apprendre plus sur Mars...

9

Retour
sur Terre

Le lendemain de notre retour, la maîtresse nous emmène de nouveau en balade dans le système solaire. Mais, cette fois-ci, nous n'avons pas besoin de quitter le sol de notre bonne vieille Terre ! Mlle Bille-en-Tête a affiché sur le mur tous nos dossiers, pour nous permettre de revisiter les planètes à notre rythme. Enfin, toutes, sauf une... Mlle Bille-en-Tête s'étonne :

– Eh bien, Carlos, où est ton dossier sur Mars ?

Je fais comme si je l'avais oublié. Juste au moment où la maîtresse fronce les sourcils, je dis :

– Ah ! je sais... C'est Rocco qui l'a !

J'appuie sur le bouton « Marche » de la télécommande, et Rocco, que j'avais caché dans le couloir, s'avance en remuant la queue.

Dans sa gueule, il tient mon dossier... J'ai bien préparé ma petite surprise. Les copains sont pliés de rire. Raphaël plaisante :

– Hé, Rocco ! Pas de tourbillon de poussière en vue, aujourd'hui ?

J'épingle mon dossier sur le mur. Mais les copains ne sont pas au bout de leurs surprises. J'appuie sur le bouton qui commande l'ouverture du compartiment secret sur le dos de Rocco, et...

– Oh !

Les copains ouvrent de grands yeux.

Je retire les petites pierres rouges de la boîte et je les fais circuler.

– Elles viennent vraiment de Mars ? demande Arnaud.

– Bien sûr ! Rocco les a ramassées quand on était sur la Planète rouge.

– Incroyable ! s'écrie Thomas. Ton robot a vraiment du flair...

« Yip, yip, yip ! » approuve Rocco.

Je suis bien d'accord avec lui.

Fin

Si tu as aimé ce livre,
tu peux lire d'autres histoires
dans la collection